C0-ASW-771

提高你的智商

——如何突破思维障碍

高品芳、郑玉英、陈祖保、舒　静等编著

程国英、刘　葵、张　燕、阿　勇等插图

本书荣获联合国教科文组织推荐的全球优秀图书奖

西藏人民出版社

责任编辑：冯　良
封面设计：文绍安
版面设计：逸　飞

提高你的智商

高品芳、郑玉英、陈祖保、舒　静等编著
程国英、刘　葵、张　燕、阿　勇等插图

西藏人民出版社出版（拉萨林廓北路 20 号）
重庆发行所发行　　　各地新华书店经销
四川省计生宣教中心彩印厂
开本：32 开　印张：3.5　字数：100 千字
1997 年 1 月第 1 版　1997 年 1 月第 1 次印刷
印数：00001—20,000 套
定价：6.00 元/本　30.00 元/套（五本）

书号：ISBN7—223—00952—7/G·406

内 容 提 要

该书是一套趣味十足的大脑体操游戏丛书,共包含智力游艺10000 余题,内容丰富,构思巧妙,文字浅显活泼,有极强的益智性和娱乐性。对于系统训练思维方法、激发想象力,是一套难得而又极富开发性和启迪人类智慧的奇书。

该书图文并茂,精选了现实中巧妙、有趣并富启迪意义的事物或题目,如视觉能力测验、天文地理、文学历史、分析推理、数理化游戏等包罗甚广,而图文中的每字每句每笔每画都可能使您绞尽脑汁去思考,也都可能成为您寻找答案的线索。书中每一个问题,都是对您大脑的系统训练和挑战。读了该书以后,可以使您的智慧倍增,可以应付更艰深的问题。

该书由全国著名的教育学家、心理学家、逻辑学家、物理学家及漫画家组成宠大的编写组历时3 年多的漫长时间精心编绘而成,内容精练简要,意念清晰,并辅以漫画语言极力给人以提示,寓教于乐。看到书中那些悦目有趣而又令人开心的插图,更能发挥您智慧的潜能、逻辑思维和推理头脑。该套丛书由浅入深,由易到难,后半部份更考您的智商。读了该书后,不仅能增加您许多科学文化知识,出色的分析判断能力和日常生活经验,更能使您变得聪明无比……

前　　言

　　《提高你的智商》丛书,是我国史无前例的激发人类心智,锻练思维能力,提高思辨智力水平,启迪智慧的唯一权威性"大脑体操"游艺丛书。她适应于广大的青少年朋友、学生、家长和教育工作者,从这套丛书中使你很快轻松愉快地掌握一生所学不到的知识,继而迈进各种学科的大门。许多卓越的科学家,小时候就对游艺活动产生浓烈兴趣,从游艺活动和"大脑体操"的训练中探索奥妙,从中受到启发,进而创造出超高尖端的科学发明。

　　遗憾的是,在我国若干年来图书市场尚未有一套很全面、系统的"大脑体操"游艺丛书,为弥补这一重大缺陷,作者们经过长时间呕心沥血的努力,倾力推出这套《提高你的智商》丛书,填补了我国图书市场这一空白,满足了广大民众和各阶层读者的需要。

　　该套丛书的编辑力量宏大,取材十分广泛,其中智商游艺题有数理化方面的、天文地理方面的、文学历史方面的、观察和分析判断能力方面的、逻辑推理方面的、视觉能力测验方面的、纵横逆向思维能力方面的智商游艺题一应俱全,包罗万象,涉及的领域极其广泛。

　　本书约10000个智商游艺题,既注重日常生活中的常识和身边的学问,更注重知识性、趣味性、启发性、娱乐性,且实用性很强。该套丛书构思巧妙,让你从看似平常简单的题目中找到暗藏机关,更能从百思不得其解的难题中摆脱习惯思维,启发你的灵感机关非开动不可,能改变角度分析判断问题,一切难题均迎刃而解。

本套丛书语言浅显、活泼、生动有趣,没有深奥晦涩、刻板枯燥之弊。无论儿童、青少年或成年人、老人均可适用,书中每一题均附有几幅精美插图,给你以美的享受,且每题均附有精妙答案,言简意赅,分析透彻,能使你茅塞顿开,举一反三,触类旁通。

许多专家在审阅书稿后认为:此书溶智力、知识、趣味、美感于一体,是寓教于乐的极好教材。既可作为青少年课余娱乐益智之用,亦有助于教师课堂教学辅导之功,更可成为各阶层人士和单位俱乐部以及文化单位举办游艺晚会的极好素材。

愿这套丛书陪伴着你,成为你的良师益友,为你的生活、工作、学习增添情趣,提高你的智力水平。

目　　录

再造想像

你听过"望梅止渴"的故事吗？有一天，曹操带兵走到一个没有水的地方，士兵们渴得走不动了。曹操对士兵说："快走，前面有片梅林，有梅子可吃。"大家听到"梅子"二字，马上感到不渴了。

为什么听到"梅子"二字，就不会感到口渴？那是因为梅子酸，吃的时候流出很多口水，这个印象深刻地留在脑中，日后一听到梅子，嘴里就自然流出口水来。这叫做再造想象。意思是由一些相关的提示，将过去的经历带出来。能够利用提示，例如文字、声音、动作或图画，想像出一些事情，是训练想像力的好方法。

文字想像

　　有一天，彼得的祖母坐在屋前的长椅上磨咖啡。当她磨一转，咖啡磨的音乐盒就会奏出乐曲。突然，院子的草丛中发出声音，有个粗野的声音说："把那个玩意交出来!"祖母回头一看，眼前竟站着一个陌生大汉!

　　他就是德国童话《大盗贼》中的大盗贼，名叫霍真普洛兹，他长着蓬蓬的黑胡子，有个大得出奇的鹰勾鼻子，头戴插了羽毛的宽边帽，右手拿着枪，腰上的宽皮带上插着一柄佩剑和七把短刀。

　　你读了上面的文字，现在请你想一想，然后画出大盗的形象。

图画想像

　　同样地，我们也可以将见到的图像用文字来描写和发展下去。下面是一部科幻小说的插图，你试着依照这幅图想像一下究竟发生了什么事情。

　　教室里乱作一团，学生们在交头接耳地议论着："这堂课不是中文吗？怎么老师讲起英文来了？"连老师自己也惊讶地掩着嘴，不敢再说下去。原来，他的嘴里安上一排特殊的假牙，可以讲一口标准的广东话和英文。本来老师把指令调校在广东话处，指令却意外地失控，所以老师上中文课时说起英文来，使得学生们莫明其妙。

声音想像

　　在二千多年前，西汉的刘邦和楚国的项羽在争夺天下。楚军兵强马壮，汉军就在一次重要的战役中，想出了一个利用声音的办法动摇敌方军心。

　　汉军做了许多风筝，风筝上都绑上竹笛，到了晚上，风筝飞向天空，风吹竹笛，一片呜呜声，很像楚人家乡的楚歌。楚国士兵听到了，想念起家乡来，人心浮动，没有心情打仗，结果汉军一举击败楚军。

　　这种利用声音，使人脑海中想像出各种形象，甚至还会引起情感的变化，也是应用了再造想像的例子。

动作想像

　　古时有个员外最爱猜谜,他给独生子请了一位老师。一天,他介绍这位老师给他的朋友认识时,伸出小尾指说:"他啊! 是这个。"老师看见了员外这个动作,认为员外是贬低自己,便愤然起身离去。员外忙派佣人追老师回来,解释说:"我伸出小尾指,是向朋友介绍你的姓名及职业而已。"原来老师叫周伍,按《百家姓》排列"赵钱孙李,周吴郑王……"周是第五位;按"天地君亲师"的顺序,老师也是排第五位。小尾指是五只手指中排第五的,因此员外伸出小尾指,老师才恍然大悟。不过如果提示不足,想像不出来,像这个故事,也会产生很大的误会。

动脑筋：

（1）有一个青年，一心想学到发财致富的本领。他找来一个赌术精湛的老头子教他赌术。老头子取了两个碗，一个装满水，一个是空的。他不言不语。把这碗水倒进那个空碗里，又把那碗水倒回这个空碗，如此反复不停，过了不久，两个碗都没有水了，老头子说："你看懂了吗?"青年摸不着头脑。你根据老头子的动作想像一下，他到底是什么意思呢?

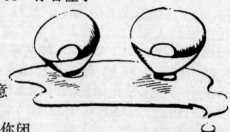

接下来，请你闭上眼睛，想像事物不断变化的过程，越详细越好：

（a）小孩的脸——少年的脸—青年的脸——老年的脸

（b）一匹马开始奔跑——越跑越快，蹄下尘土飞扬——风驰电掣——开始减慢速度——慢跑——越来越慢——原地踏步停下来。

（2）闭上眼睛，做下列想像的练习，想像的形象越清晰越好。

（a）想像一张你所熟悉的小孩的脸。

（b）想像一匹正在飞奔的马。

（c）想像一朵玫瑰花苞。

（d）想像云里的月亮。

（3）一位红歌星在演出时突然忘了歌词，但她不慌不忙，依然在台上跳个不停，嘴巴一张一合，直到想起歌词才再唱下去。事后，控制室的人向她道歉。依你判断，到底是怎样一回事。

（4）美娟吃过晚饭，正和妈妈一起坐着看电视。忽然，一阵琴声飘进美娟的耳朵里。那琴声悠扬，柔和，优美，好听极了，美娟跟着琴声来到昨天新搬来的人家门前，她不好意思进去，就坐在门外楼梯坎上静听。在琴声里，她的眼前出现了一片绿色的山野。山坡上，有几只小羊在草丛里戏玩，一条细小的泉水从山间的石缝里流出来，像一条闪闪发光的银链；忽然耳边听到鸣鸣的风声，大树被狂风吹得东倒西歪。小羊也受惊四处乱跑，咩咩地叫唤。美娟的心揪紧了，禁不住叫了起来。

想一想，为什么美娟听到这么多情节？从下面挑选你认为正确的答案，在括号内加"√"。

（a）美娟以前去过那片绿色的山野，她在回忆过去。（　　　）

（b）美娟真的看到了小山羊。（　　　）

（c）优美的音乐引起她丰富的想像。（　　　）

视觉形象

　　我们的大脑像个司令官,每时每刻都要接收周围世界传来的信号,大脑最信任的器官就是眼睛了。因为80%以上的消息都是由它传给大脑的。眼睛像个照相机,它把事物的外形、颜色和位置都告诉给大脑,这就是视觉。大脑中的视觉印象最多,所以人在想像时,大脑中的视觉形象最生动、最灿烂。

敏锐的观察力有助打胜仗

　　第二次世界大战期间,苏联红军与德军在某城外将展开激战,苏军要弄清处德军的兵力部署情况。苏军的侦察机在德军阵地上空飞行,阵地上沟沟坎坎,到底哪儿部署了兵力呢? 侦察员观察到有些狭长的雪地颜色较深。他突然想到"雪后,敌人肯定要清理积雪,他们清理过的雪带有湿土,颜色与未清理的雪地不一样。根据这个判断,他画出了敌人的所在位置,因此在战争中取得胜利。可见,观察力强的人,容易受周围事物、环境的触发产生联想。

大像能穿过针孔？

老师出了一道题考学生："大象是陆地上最大的动物，而针孔只有一毫米大，你能使大象穿过针孔吗？"大家都在交头接耳，认为针孔没有可能穿过大象，老师告诉同学要从空间去想像。

"在灯光照耀下，你的身影可以变大，也可以变小，怎样变，就要看你与灯的距离远近。所以，灯要适当地放在针孔后面，在屏幕上投现出一个大的针眼。技巧地把灯放在大象后面的适当位置，可以投现出一个极小的大象影子。移动两个物体和光源，就能使大象穿过针孔了。"大家听后才恍然大悟。

要解决这类问题，脑里面要不断运用远近位置，近则大、远则小的原理来解决。

血液也有丰富多彩的颜色?

　　动物王国里有个小村庄,村庄里住着河蚌、毛蟹、田螺、蚯蚓、蜜蜂、青蛙和蜘蛛。一天,动物王国的国民传令让蜜蜂进宫当卫士,因为蜜蜂身后有一把锋利的宝剑。这命令还未传给蜜蜂,蜘蛛村长就急忙去报告:"蜜蜂被害死啦!"国王大怒,命令青蛙迅速破案,让蜻蜓协助。它们到达现场后发现蜜蜂伤痕累累,宝剑也不见了。但却发现了一些绿色的斑点,怀疑是血液。世界上有绿色的血液吗?他们真有点不相信。先让村民抽血。

　　抽血结果:田螺的血是白色的;河蚌的血是淡蓝色的;毛蟹的血是青色的;蚯蚓的血是玫瑰红色

血,证据就现出来了。

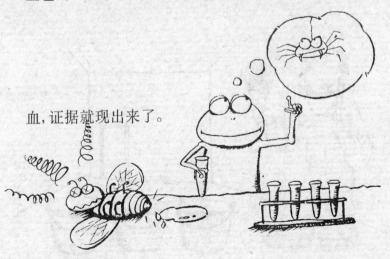

21

颜色影响人的心情

　　丽娜一家,在春节过后,搬了新居。她发现爸爸妈妈的睡房漆成了淡蓝色,起居室是淡黄色,客厅是淡绿色的,自己的房间是淡粉色的。丽娜不明白为什么不漆成同一种颜色。爸爸解释说:"蓝色代表静止,使人情绪稳定,容易进入梦乡,所以睡房使用蓝色;起居室的黄色代表白天。当天渐渐发亮,一切事物被阳光涂成淡淡的黄色,人们就开始活动了,久而久之,黄色代表活动。绿色的植物给人类带来无穷无尽的食物和天然保护,用绿色涂客厅,代表友谊蓬勃发展。"丽娜听后才恍然大悟。

动脑筋

（1）观察右面这幅图,画的到底是什么? 你能看出这个图画有什么奥秘吗? 如果你多找几个小朋友,让他们说说,这个图到画的是什么? 你就会发现,你的答案和他们可能不一致的。

（2）在一块厚木板上,开了 3 个洞。有一个立方体能无间隙地通过其中任何一个洞。这圆孔的直径、正方形孔的边长和十字架孔交叉线长度都相等。这一立方体究竟是什么样的? 你如果能想像出来,你的空间想像力就可以得满分了。

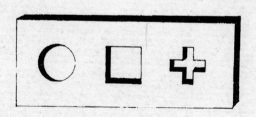

（3）拿破仑在远征中发现了一块形状奇特的土地。他对部下们说，谁能将这块土地分成大小和形状相同的两块，就把土地赏给谁。如果是你，你如何划分呢？

（4）全世界大多数国家的消防车都漆成红色。可是，根据调查结果，红色消防车每出动十万次，就肇事三十二次；黄色的肇事十四次。专家们建议，把消防车改为黄色。为什么？

创造性想像

　　创造性想像是要独立创造出新形象。这个新形象是世界上没有人见过的，或者是根本就没有出现过的新东西。

　　但是，创造性想像也有再造想像。再造想像的基础往往是事物的原型。例如，不管是谁想像出来的外星人，都可以从中看到地球上的人、动物、植物和机器的影子。这又说明，再神奇的想像也不是凭空想出来的，开始时，总是受到某类事物的启发。

打扮之理启发创作

　　木匠祖师鲁班，他技术高超，什么事也难不倒他。但是，有一次鲁班被一件事难倒了。据说，他主持建造一座厅堂，由于一时疏忽，把一批珍贵的香樟木柱截短了，鲁班整晚也睡不着，后来他的妻子知道了，取笑他不动脑筋，说："这有什么难呢？你看，我长得不高，我在鞋底垫上一块木头，头上插玉簪、珠花，不就显得高了吗？"

　　鲁班依照妻子的提示，发明了一种新式的柱子，柱脚下垫起圆形的白柱石，柱子上端镶接着一个雕花蓝、乌首的柱头，由此解决了难题。

大鲸鱼飞机的诞生

你见过这种古怪的飞机吗？它那又胖又大的身体好像大鲸鱼一样，整个机身连一扇舷窗也没有，这就是目前世界上最大型运输机。几年前，一个设计师在设计

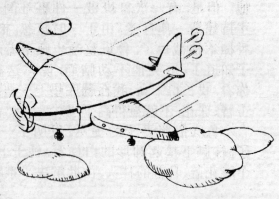

运输机时，想起小时候读过的故事《木偶奇遇记》，故事里有一条凶狠的大鲸鱼，一口把皮诺丘和船只吞下。鲸鱼的肚子好象大货舱。设计师从中得到启发，就仿照鲸鱼的样子，设计了一种超大型的运输机！过去的运输机的门都开在机身一侧，过长过高的货物却装不进去。聪明的设计师想到了鲸鱼的大嘴巴，他大胆设想，让大鲸鱼飞机也张开嘴吞食货物，他把机舱门开在机头，大鲸鱼飞机就这样诞生了。

这个设计师因为小时候读过《木偶奇遇记》，大鲸鱼吞食东西的形象是他熟悉的，所以才能做出这样新颖的设计来。

神的外形全世界都是一样吗?

　　神的形象都是以人本来的外型创作出来的。不同的国家,不同的民族,受不同外型的启发,创造出不同的神。欧洲人想像的神白皮肤,高鼻子,长长的卷发。非洲人想像的神黑皮肤,塌鼻子,大嘴巴,小卷的头发。中国人想像的玉皇大帝则跟中国皇帝一样。可见,人们常受身边熟悉的事物启发,进行创造性想像。

超时空猴王

公元 2989 年，一位叫聪明博士的家里，放着从中国花果山带回来的一块大石头，就是当年生出孙悟空的大石头。聪明博士发明了一种痕迹搜集记忆器。他利用孙悟空出生的大石头，组合了一个"超时空猴王"，本领比孙悟空更大。这个猴王有个科学金箍棒，不但能大能小，甚至可以变得便鞭子一样的柔软。他还有言语翻译箍，能随时与博士通讯。

一千年前，武术高强的人只不过懂几套拳术，翻几个跟斗，使用棍、棒、矛、剑这样的冷兵器。所以明代人塑造的孙悟空只能有个金箍棒，能一个跟头翻出十万八千里，有七十二样变化。可是不论怎样变，也绝对变不成宇宙飞船的驾驶员。

现代科学进步，"超时空猴王"的武器就处处带有科学性。可见，事物的形象变了，人的想像也发生变化。

30

动脑筋

（1）想像 21 世界的床，尽可能生动的描写它。

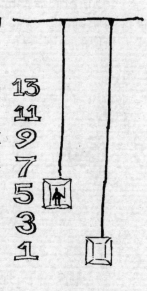

（2）请在三分钟内猜出下面三则谜语。

(a)上星期我在卧室里关电灯，打算在房间变暗前能到床上。假如床离电灯开关有四米远，我应该怎么做？

(b)外婆每次到我家来看我的时候，总是先乘电梯到五楼，然后再往上走完余下的二层。你知道为什么她不一下子乘电梯到七楼呢？

(c)昨天，爸爸遇上一场大雨，正好没带帽子，也没有带雨伞。结果他的衣服淋湿了，头发却一点也没湿，为什么会这样？

（3）请看阿波罗战车巡视和神打电话问天气预报这两幅画，说一说，为什么古代人想像的神和现代人想像的神不一样。

（4）想像一下，地心引力每天停止一秒，会发生什么现象？地层表面看起来像什么？海与河流会发生什么变化？生命会如何延续？房样建造？想像的家具怎么摆设才能适应每天没有地心吸力的那一秒？

创造新形象

　　创造新形象最常用的手法是夸张、组合和拟人化等。

　　夸张是把事物的某一个特点突出来，强调他的特性。漫画常把人的外貌和动作故意夸张，讽刺他们的缺点或突出他们的优点。

　　组合是通过想像，把几种原来毫不相关的东西凑在一起，形成一个新的形象。也可以把许多特点集中到一个人或东西身上，使这个人或东西更吸引人。

　　拟人化往往把动物、植物以及生活中的一些事物都想像成和人一样会说话、会思想。

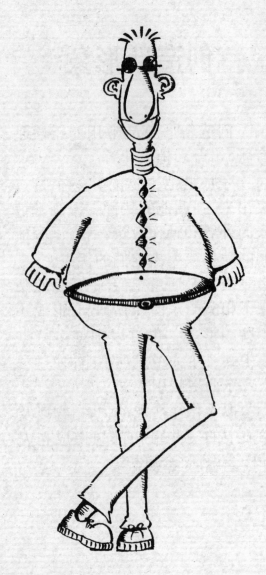

合吃一鼻

　　小明和弟弟都是近视眼。一天,他们合买了一个猪鼻子吃,两个人对面坐着,头差不多碰在一起。小明一不小心,把弟弟的鼻子夹住了。弟弟高声喊道:"哥哥夹住鼻子了。"小明说:"我正是要吃它呀!"弟弟又嚷道:"不是,你夹住我的鼻子了!"小明生气地说:"大家花钱买的,怎么是你的呢?"于是把手一拂,一碗猪鼻子撒了一地。

　　眼睛近视的人常认错人,闹点小笑话。作家靠丰富的想像力把小笑话夸张成连人的鼻子和猪鼻子都分不清的大笑话,让人听了非笑不可。

人性的弱点

　　设计学院要求学生创作一张海报，讽刺一些不让座的学生，学生画了一张"装聋作哑"的画，老师看了很不满意，认为画得很真实，但不够夸张。老师拿来一张"催眠老人"的漫画，也是表现不愿让座的讽刺画，但非常夸张。画一位老人一上车，就把坐位上的几位乘客搞"睡了"。老人既不是魔术师，也不会催眠，乘客睡着是假，不愿让座是真，画家用夸张的手法，暴露人类的私心。

唐老鸭输掉了比赛?

　　唐老鸭说好了要和三个侄子去郊游,可到时又变卦了,要去参加健身俱乐部的野外赛跑。连黛丝小姐劝他都不听。没法,黛丝小姐想出了一个主意,她说:"唐纳,你是个没有名次的运动员。你连你的侄子都跑不过。"唐纳一听气得哇哇大叫,决定先和侄子们比个高低,他在一张纸上写了"我唐老鸭,如果跑不过我的侄儿,我将参加郊游"。唐纳和他的一个侄子路易比赛。奇怪了,唐

纳本来跑在前面,但每一回绕过灌木丛,路易就神不知鬼不觉地超过了唐纳。

　　最后唐纳只好认输了,改去参加郊游。当他无意中到侄子的房间,发现三件一模一样的运动衣都满是汗水时,才恍然大悟,原来三个侄子串通起来捉弄了他,结果被唐纳追着来打。

　　这是想像中把事物和人的性格特点组合在一起,产生一个新形象。

难忘的旅行

　　丽华一家四口到郊外旅行,到了午餐时间,爸爸、妈妈要去准备午餐,留下丽华看管正在睡觉的小弟弟。忽然,天空飞来了一群天鹅,掳走了正在睡梦中的小弟弟。丽华看见,忙去追赶野天鹅,跑啊,跑啊,她跑到正在烤蛋糕的小烤炉前:"小烤炉,请你告诉我,野天鹅飞到哪里去了?"小烤炉说:"请你把蛋糕取出来,然后我才告诉你。"丽华把蛋糕放在地上,小烤炉说:"那群野天鹅往左飞了。"于是丽华往左跑,来到一棵荔枝树前:"荔枝树啊! 请你告诉我,野天鹅飞到哪里去了。"荔枝树告诉她:"我带你去找小弟弟。"后来在荔枝树的帮助下救出了小弟弟。在这个故事中,小烤炉和荔枝树都会说话,这就是使用了拟人化的想像。

动脑筋

（1）阿基是个机智勇敢的小孩,他长有三只眼睛。平时,他用胶布把长在额上的第三只眼睛封上,就与普通孩子一样了。撕下胶布,他的第三只眼睛就具有无比的神力,能想出奇妙的主意,救活小龙鸟,能掀起飞沙走石赶走坏人。暑假里他在游泳时遇到一只大怪鸟,并由此卷入危险的漩涡,他依靠第三只眼睛的神力和怪鸟的帮助,虽几经生死,但最终战胜了凶恶的对手。

想像一下,假如我们每一个人的脑后又长一只眼睛,我们的生活该有什么变化? 比如司机倒车不用回头,汽车上也不用倒车镜,小偷偷东西更困难……希望你能列出别人想不到的变化,越多越好。

（2）正是严冬,老师穿着绒大衣,背靠取暖的壁炉,向全班同学训话:"孩子们,你们每天要开口讲话时,一定要想一想,最好先数它五十下,总不会错。如果是重要的事情,最好数它一百下,那就更好。知道了吗? 同学们!"

这时,全班小学生的嘴都忙个不停,抢着数道:94 95 96 97 98 99,刚念完100,大家不约而同地叫起来:"老师,你的大衣烧着了!"老师紧张起来:"你们怎么不早说?""这是重要的事情,我们先数它一百下。"

这篇小笑话,利用了夸张的

手法,你能说出是怎么夸张的吗?

（3）有两个英国人到西班牙旅游。这天早上，他们来到一家小餐馆吃早点，他们不懂西班牙语，服务员也不懂英语，他们想吃牛奶和三明治，他们用英语说，后来又用笔写，服务员还是不懂。最后，一个英国人拿出一张纸，用笔画了一头母牛给服务员看。服务员看了，立刻跑了出去。

"你看，"画牛的英国人得意地说，"一个人在外国遇到困难，笔也能帮大忙。"过了好一会儿，服务员满头大汗跑了进来，然而他没拿牛奶，也没拿面包，而是拿了另外的东西，你猜他拿的是什么?

（4）从前有个国王，他非常喜欢马。一天，他请一个画家为他画一匹骏马，画家要他等等。国王答应了。他等了一年，还不见画家送画来，就亲自去质问画家。画家当即拿笔墨为国王画了一匹骏马，只花了5分钟时间。国王很生气。画家指着桌上一叠叠草稿说："花了一年功夫，才学会5分钟内画好一匹马啊!"请你用一句成语概括这个故事的主题。

模棱两可的思考

　　面对一个含义模糊的词和问题，最好任意发挥想像力，没有逻辑的限制，往往可以得到新的启发。在解决模糊的问题时，还可以刻意避开已有的经验，以求可以创出新意。

　　但模棱两可的思考也有缺点，有时让人迷惑不解，产生误会。不过，在刚开始思考创造性的问题时，模棱两可的思考更能发挥人的想像力。

没有标点符号的契约

　　古时候，有一个饭店老板替一位客人包伙食，老板和客人订了一个契约："没有鸡鸭也可以没有鱼肉也可以青菜豆腐不可少。"客人很高兴，他如约付了很多钱，可是客人天天吃的是青菜、豆腐，既没有鸡、鱼，也没有鸭、肉。他生气地对老板说："你怎么不守约呀？""我是照契约的规定做的呀！"老板振振有词地说。于是，双方便争论起来。

　　客人说："契约上的意思是，没有鸡，鸭也可以，没有鱼，肉也可以，青菜豆腐不可少。"老板说："契约的意思是，没有鸡鸭也可，没有鱼肉也可以，青菜豆腐不可少。"

　　为什么同一个契约却有不同的理解？问题就出在契约上没有标点符号！

"木墙"之谜

很久以前，欧洲有一个文明古国，叫希腊。一天，希腊的长老们聚在都城雅典，绞尽脑汁苦思如何应付来袭的波斯人。他们决定派人去阿波罗神庙向神请示。

传达神谕（神的话）的人坐在青铜三角祭坛上，口嚼阿波罗圣树月桂的叶子，神情逐渐恍惚，似乎接到了神的旨意，开始宣布神的话。他们得到的神谕是"木墙将拯救你和孩子们。"这话十分含糊，全靠请示者自己去理解。

长老们有的认为，"木墙"的含意就是在雅典城墙上筑一道木墙，防御敌人。有的长老认为"木墙"是指将雅典所有木船排成一列。经过思索，最后长老们认为，将来面临的战争是海战。后来，雅典人经过精心准备，在圣拉美战役中大败波斯人。

其实世界上并不存在神，也没有什么神谕。所以，所谓传达神的话的人，总是把话说得模棱两可，迫使雅典人运用智慧，思考打败敌人的各种办法。因此可以说，模棱两可的思考能发挥人的想像力。

有动作有姿态的家具

　　有一名著名的建筑师让他的学生做一个练习：画一幅表示动作姿态的画，然后设计一件东西（可以用塑料、木头、金属、纸等原料）撑住那姿态。练习结束时，建筑师才告诉学生，他们正在设计家具。他说："假如我告诉学生，我们要设计一把椅子或一张床，他们就会根据记忆中椅子或床的形状来设计，很难有新的突破。我模糊地告诉他们，学生的想像力才不易受到束缚。

　　所以，遇到问题的时候，可以把它模糊一下，让你的想像力任意驰骋，等有好构思出来后，再去解决这一问题。

两手空空

　　大卫的爸爸和叔叔一起去打猎,回来后,大卫问爸爸打了什么回来。爸爸说:"我打了9只没有尾巴的山鸡,6只没有头的兔子,8只半个身的豹,你猜我一共打了多少猎物?"大卫将所有的猎物加起来,共23只,但是为什么爸爸和叔叔都两手空空呢?

　　爸爸解释说:"9字去掉尾巴是0,6字去掉头也是0,8字的一半也是0。"大卫才明白爸爸什么也没打到。

　　这一个问题你如果能想出更多的答案,证明你的思维越灵活。

动脑筋

（1）从下面两幅图中,找出花仙子与小怪物二者之间相同之处。找出的共同点越多越好。

花仙子　　　　　　　　　　　　小怪物

（2）下面的几个问题,看似容易,答时难。因为它用了模棱两可的概念。

（a）明明是点心,可谁也不能吃。这是什么?

（b）有人一个月剪一次发,有人半个月剪一次发,可我每天剪十几次发,这是什么原因?

（c）什么字大家都会念错?

47

（3）师傅和徒弟开玩笑："用你的锤子锤我的瓷碗,锤不碎,你信不信?"

徒弟说："不信! 锤子是铁的,碗是瓷的,一锤下去,碗一定会粉碎。"

师傅笑了笑说："你说得对,但我也没有说错呀!"

徒弟想了想,终于明白了,忙说："对! 你说得也对!"

小朋友,这是怎么回事?

（4）三国时,有人送给曹操一盒酥糖。曹操吃了一点后,将酥糖盖上,题了"一合酥"三字,传给众人看。这三个字是什么意思呢? 大家都不解。当酥糖传到杨修手里时,杨修看到"一合酥"三字,伸手拿过酥糖就吃了一口。大家都不理解,经杨修一番解释才明白。你能说出其中的道理吗?

暂不下判断

　　在解决一些困难的问题时，不要急于下判断，应该说一声"也许"、"可能"。这里的"也许"、"可能"不是不下判断，而是有意延迟判断，然后尽量想出别人想不到的结果。如果大家对一些有困难的问题都采取暂不加判断的态度，就可以解除心理上的压力，一些新奇的想法才能大胆地冒出来。

　　所以，在解决问题的开始阶段，有意识地说"也许"十分有用，这个阶段一过，就可以放弃"也许"的态度。

1+1+1 并不等于 3

如果问你 1+1+1=3 对吗？你一定毫不犹豫地说："对呀!"请不要急着下判断,先听个故事。

山顶上有个小庙,住着个小和尚,每天到山下挑水吃。他一边挑一边优哉悠哉地哼歌。

不久,来了一个瘦和尚。小和尚想："你个子大,该你去挑水。"两人谁也不愿为别人挑水,只好一起抬水,还常为水桶靠谁近而争吵。

后来庙里又来了一个胖和尚。胖和尚能吃又能喝,但又懒得出奇,一下子就把小和尚和瘦和尚抬的水喝完了。这下,不要说挑水,连抬水也没人干了。这 就是俗语所说的"一个和尚挑水吃,两个和尚抬水吃,三个和尚没水吃"。

3个和尚分开时,每人能挑一担水,合在一起应挑 3 担水。可是世界上的事情十分复杂,如果他们很自私,就 1 担水也不能挑。如果他们团结合作,可能挑 5 担水。现在若问你 1+1+1=3 是否绝对正确,你会说"未必"。

氢气能燃点蜡烛?

　　假设太空人来到一个奇怪的星球,上面只有一种气体——氢气。由于光线太暗,太空人要点燃打火机。有人说,不能点,氢气遇火就会爆炸。有人说不会爆炸,因为星球上没有氧气,太空人根本不能点燃打火机。两个人谁说得对呢? 如果你懂得燃烧的知识,你会认为后者说得对。你的回答就是一种判断。

　　如果你不懂燃烧的知识,在回答上面的问题时,你就会说:不知道、大概、可能、也许……这叫暂不下判断。

　　暂不下判断不是不下判断,而是有意不去判断,然后尽量想出别人想不到的结果。

群众压力

　　心理学家做过一个有趣的实验:他在黑板上画了几条线条,其中第一条线比第二条线长。他找了五个人,前四个人是心理学家有意安排的,让他们故意说第二条线比第一条线长。当第一个人说出自己的结果时,第五个人觉得很好笑:"神经病。"

当第二个说的和第一个人一样时,第五个有点惊讶:"这人的眼睛有毛病?"当第三个人说的也和第一个人一样时,第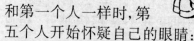

五个人开始怀疑自己的眼睛:"可能是我的眼睛出了毛病?"当第四个也故意说第二条线段比第一条线段长时,第五个人就确信是自己错了:"幸亏我是第五个,如果是第一个被试,不就闹笑话了吗?"结果他也说第二条线更长。这就是在群众压力之下,追随错误的东西的典型例子。所以人多的时候,有的小朋友生怕说错什么被看成是"神经病"。结果,有的好设想还未讲出来,就被胆怯心理扼杀了。

改善打字机,应先减慢打字员速度?

　　十九世纪七十年代,美国一家最大的打字机制造公司接到许多顾客的来信,抱怨如果打字员的速度快一点儿,打字键会纠缠在一起。公司的经理马上请工程部改善这一缺点。工程师们意见不一,有人想改进机械,但这不能很快解决问题。另一个人提出"如果我们能让打字员的速度慢下来会如何?速度如果减慢,字键就没有机会缠在一起了"。幸运的是,这个工程部的工程师不急于下判断,愿意尝试任何想法,于是他们进一步想:什么方法可以减慢打字员的速度呢? 最好的答案是"字键的排列让打字员感到不方便。"他们把英文字母中常用的"0"和"1"放在须用无名指和小尾指的位置,结果新的打字机有效地解决了字键纠缠的问题。如果当时有一个人过早判断:"打字速度不是越快越好吗?降低速度不是好办法。"上述的好主意就不会想出来了。其实,人工打字速度并不是越快越好,超过一定速度,错误率也会增加。

动脑筋

（1）先用有判断性答案"是"或"否"解答下题，然后再用"也许"来做一次。

(a)5 + 6 = 12。

(b)第二次世界大战始于 1943 年。

(c)冰浮在水上。

(d)女孩总是比男孩聪明。

(e)长着暴凸眼的水星怪物降落到地球上了。

（2）用"是"、"否"和"也许"回答下面各题：

(a)时间看不见摸不着。

(b)老鼠吃猫。

(c)杜鹃常常依赖其他鸟类为自己造巢。

(d)玩游戏机最痛快。

(e)拼音很难学。

（3）回答下面的问题。如果你给它下判断，就很难答出来:如果很富有想像力，就一点也不感到难。

(a)照你的估计，一年三百六十五天中，有几天月亮是不发光?

（b）在飞驰的火车上，我打开车门走出来，居然没有受伤，也没有死亡，你知道这是什么原因吗?

(c)"双数乘以双数"是个双数。

这无疑是正确的,当我告诉你"双数乘双数"是个单数,你信不信? 你能悟出我这话的道理吗?

（4）在晚会上,唐老鸭拿出一张半截绿色、半截黄色的纸条,要求猜谜者做一简单的动作,猜一句成语。这时,米奇老鼠上前,将纸条沿颜色交接处扯断。唐老鸭宣布米奇老鼠猜对了。小朋友,你知道这句成语吗?

创造性地对待一切

　　解决问题也需要有想像,创造性地解决问题首先要敢想,所以不急于判断的目的是为了要冷静对待各种假设。遇到棘手的问题时,可分为二个阶段。第一阶段:提出各种有可能发生的假设,如果一开始使用判断,大胆的想法就不会诞生;第二阶段:判断哪个假设最好,挑出来实际去做。

会飞的象

　　小象大宝和他妈妈珍宝太太都是马戏团的演员。就是因为大宝长着特别大的耳朵，每次他和妈妈一出场，观众就大笑起来，顽皮的孩子还跑过来揪大宝的耳朵。珍宝太太为了保护大宝被关进牢里。"都怪你的耳朵，简直给我们大象丢脸！"大象们一见大宝就扭过脸去，不理睬他。后来大宝结识了新朋友乌鸦，他真羡慕乌鸦能飞。于是成千上万只乌鸦赶来教大宝飞，他们把大宝托到天空中，然后鼓励他："扇动你的大耳朵，慢慢飞。"大宝终于飞起来了，以后在马戏团演出中一鸣惊人，成为最优秀的马戏团员。这是迪士尼童话系列中的一个故事。

　　如果你指责迪士尼先生"哪有会飞的象？"小飞象这个童话就不能问世了。

发动机也能在天空中飞

二百年前,世界上还没有飞机。大多数人都凭理智判断:人能飞上天只是幻想。假设有个"小发明"想发明飞机,他和一个叫"小判断"的人展开了争论,我们用他们之间的争论来代表当时的发明家和普通人。

小发明:鸟能飞上天,人为什么不能?可以给人安上一对大翅膀。

小判断:鸟有雄健有力的胸肌来扇动翅膀,人没有,安上翅膀也飞不起来。

小发明:我可以用发动机来作为动力。

小判断:发动机是铁做的,几百斤重,上去就会掉下来。

结果,小发明没有听从小判断的判断,继续研究飞机,经过无数次失败,人终于飞上了天。

如果在设想的开始阶段就用过去的经验去判断,不寻求新办法,那么什么新事物也发明不出来了。

杜鹃鸟常常依赖其他鸟类为自己造巢

杜鹃自己不造巢,它把蛋下在林鹨鸟的巢里就不管了。林鹨鸟尽职尽责地孵蛋,可小杜鹃一出壳就有一种把别的圆形东西推出巢的本能。所以,林鹨鸟的蛋都被小杜鹃扔了。知道了这些知识,你就可以判断这句话是对的。

创造性地对待:利用小杜鹃把圆形东西推出巢的本能,让它去排除一些危险的炸弹。

老鼠吃猫

谁都知道猫吃老鼠,哪有老鼠吃猫的。用常识判断,这句话不对。

创造性地对待:也许老鼠吃猫。《黑猫警长》故事中就有一个专干坏事的吃猫鼠,它先放一种臭屁把猫熏倒,再把猫吃掉。请你编一个米奇老鼠大战食猫的故事,编好了讲给爸爸妈妈听。

动脑筋

(1)造两个有关学校的句子和两个有关食物的句子。这些句子要求都能用"也许"回答。

(2)造两个有关生命句子和两个有关头发的句子。这些句子要求都能用"也许"回答。

(3)有个调皮的孩子,一个月穿破了三双袜子。第一双袜子破了 1 个洞,第 2 双袜子破了 2 个洞,第三双袜子破了 3 个洞。妈妈让孩子点一下,这些袜子一共有几个洞,孩子说有 12 个洞,你说为什么他这样回答?

（4）用"也许"的态度回答下面的句子，并说明为什么。

（a）风筒可以当吸尘器。

（b）人像袋鼠一样跳着走。

（c）水壶会说话。

（d）人在水面上可以自由行走。

（5）很长时间以来，戴利比里斯博士和他的助手一直在秘密从事一项可怕的发明。戴利比里斯，就是恐怖的意思。他的名字说明他是一个魔鬼般的恶人。他发明的超级原子装置托起了月球，使月球脱离了运行轨道，并把它放到太空的某一个点上。

月亮的消失引起地球上的普遍不安和恐慌。"没有月亮了，我们以后怎么赏月呢？好幻想的人们相互问道，无线电里传来戴利比里斯的声音："你们若付出与月亮重量相等的金子，我就把月亮还给你们。若不接受我的条件，我就把月亮炸掉。"但地球上的人并没有被他吓倒，许多国家都发射了人造月球，一个比一个亮，戴利比里斯博士守着原来的月亮，气得直啃指甲。

请你说一说，这个科学幻想故事在哪些事情的描写上采取了也许的手法。

垫脚石

　　以前,有些较浅的河滩没有架木桥,人们就在河中放了许多大石头,让大家踩石过河。这种石头就是垫脚石。在这里,垫脚石是指一些粗糙的想法。它并不是我们要真正采用的想法,它不过是起了一个桥梁、阶梯和跳板的作用。我们利用垫脚石启发思路,在它的基础上想出一个更好的想法,就从这个垫脚石跳到我们的目标上。垫脚石用完后就可以丢弃了。

会讲笑话的垃圾桶

几年前,荷兰有个城市发生了垃圾问题,人们不愿使用垃圾桶,城市脏极了。卫生局提出几个解决问题的办法。第一个办法是增加罚款,可是实行后,没有多大效果。第二个办法是增加街道巡逻人员,但成效也不大。后来有人提出一个建议:奖励遵守纪律者,每到垃圾桶倒一次垃圾,就可以从垃圾桶的电子感应退币机中拿到十元奖金。这个主意立即遭到反对,理由是:如果采用这个办法,过不了多久,政府就会破产。

但是,有些人没有把这个不切实际的办法丢弃,他们把它当作垫脚石,进而想:是否有其他奖励大家用垃圾桶的方法呢? 后来卫生局设计了一种电动垃圾桶,安有电子感应装置。每当有垃圾丢入,感应装置就会发出先录好的笑话,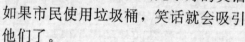
如果市民使用垃圾桶,笑话就会吸引
他们了。

油漆中加入火药?

　　几年前,有一家大化学公司的工程师提议说:
"我们在油漆中加入火药如何?"听到的人莫不大吃
一惊。这个工程师继续说:"你们可曾注意到,房子
油漆过三四年后,不仅残破不堪,剥落龟裂,而且不
易刮掉。我想,应该有一个办法除去油漆。假如我
们在油漆中加些火药,就可以把油漆炸离墙壁。"

　　这位工程师的想法相当有趣。但有一个缺点,它
非常不实际:万一发生火灾,墙上这些炸药会引起火上
加油的作用。谁敢住在炸药四伏的屋子里呢?

　　然而,听到这个想法的人却注意到:这个想法
虽然不可行,却可以当垫脚石,用来思考一个可行
且有创意的好主意。他们想到了利用化学反应除
掉油漆。由于打开了思路,最后终于找到了在油漆
中加入添加剂的方法。在刷上油漆之后,这些添加
剂并不产生化学反应,除非它接触到另一种添加
剂。在需要去掉油漆时,一涂上第二种添加剂,油
漆马上自动剥落下来。

红色的东西能"提早"产生作用?

1912 年,当汽车工业开始发展时,发明家凯特林想要改进汽车发动机的效率。他的难题是,汽油要很长时间才能在汽缸里燃烧,因而效率很低。他想:"怎样做才能使汽油在汽缸里提早燃烧呢?"关键字眼在"提早"。于是他便在历史中、心理活动中和生物中寻找"提早"的例子。他想起一种特别的植物——蔓生的杨梅,在冬天,它比其他植物开花要早。杨梅的主要特点是它的红叶子。凯特林认为一定是红颜色使杨梅的花提早开放。他想:也许在汽油中加上红色颜料,汽油会提早燃烧。他在工作室里只找到了碘酒,就把碘酒放在汽油里,燃烧居然提前了。他高兴极了,以为是碘的红颜色解决了他的难题。几天后他拿一些红颜料放进汽油里,什么事也没有发生,他至此才明白,不是"红色"解决的问题,而是碘中含有的某种成分。

这个故事说明,错误是产生新设想的垫脚石。假如他早知道仅"红色"不能解决问题,那么他可能不会在汽油里加碘,也不会意外地找到了解决办法。

最新式的鞋

假如需要设计一种新式的鞋,下面哪些方法可以当垫脚石呢?

（1）鞋可以治病

（2）鞋内有 CD 机

（3）每个人穿同一号码的鞋

（4）鞋可以吸尘

（5）穿完即弃

这些想法都好像很荒唐,尤其是鞋可以治病。但如果我们只考虑这句话的荒唐性,就会阻碍我们的想像力,这些只是我们的垫脚石,达到目的的桥梁、驳艇。它们本身不是我们要达到的目的,但你可以借助它们想出更好的主意。

（1）鞋可以治病　　鞋垫有按摩穴道的凸粒,可以治疗各种疾病,例如高血压、关节炎、胃病等。

（2）鞋内有 CD 机　　那么不用拿着耳筒收音机也可以听到自己喜欢的音乐。

（3）每个人都穿同一号码的鞋　　设计一种可缩小、放大的鞋。只要放在特殊的药水里泡一泡就行。

（4）鞋可以吸尘　　那么在家里或汽车内,只要穿着鞋子走一遍,就把那儿的灰尘吸走了。

（5）穿完即弃　　设计一种"一次"鞋,穿一星期就扔了,价格便宜,人们可以经常更换鞋子的颜色、式样。

动脑筋

（1）大人们常常失眠。你能从下面的说法中找到垫脚石，帮助他们解决这个苦恼吗？

（a）小孩睡觉最香，最好让大人变成小孩。

（b）下雨时，人听着雨声容易入睡，最好天天睡觉时下雨。

（c）噪声使人无法入睡，最好去掉一切噪音。

（2）有一个阿拉伯国家，每年要举行一次骆驼比赛。如果胜了，获胜者可以得到很高的荣誉。这天，骆驼驯手阿卜杜勒急得团团转，原来他的骆驼每小时走十公里，而一般的骆驼只能走五至七公里；但是，前两天骆驼出了毛病，每次起跑后总是朝着相反的方向跑去，一直不回头。大赛马上开始了，阿卜杜勒还没有想出好办法来。这时，一个小孩对阿卜杜勒耳语了一番。骆驼站成一排，发令枪一响，阿卜杜勒的骆驼回过头，向相反的方向跑去，结果得了第一名，小孩对他说什么呢？请你猜一猜。

（3）一天，法国一家著名的照相器材厂来了一批日本客人。这家工厂的实验室主任接待客人格外热情，一定要自始至终亲自陪同客人参观。在观看一种新的胶片显影溶液时，一位客人俯身靠近盛溶液的器皿,仔细看了一下。这个极为平常、自然的举动,一般人不会注意。可是精明的实验室主任却发现,这个日本人的领带比一般人的领带长,一俯身正好使领带末端无意地沾到了溶液。

于是,主任赶紧悄悄地叫了一位女服务员,对她如此这般吩咐了一番。参观结束,当那位日本客人心满意足地走出实验室时,一位女服务员彬彬有礼地走到他跟前说:"先生,您的领带脏了,请换一条新的。"说着便递上一条崭新漂亮的领带。那日本人尴尬极了,只好换下领带,鞠躬道谢。小朋友,为什么要他换下领带?

(4)孙膑和庞涓是我国古代的军事家。鬼谷子是他们的老师,常找机会考他们。有一次,鬼谷子让他们每人一天从山上拾回"百担榆柴",谁先完成算谁赢。第二天,太阳未出山,庞涓就上了山动手砍柴,直到太阳下山,才砍了九十九担。孙膑在家吃好早饭,带上一本书,在山上找到了个僻静处,读起书来。太阳快落山了他才不慌不忙地砍了一根柏树扁担,再砍了两捆榆树枝挑着下山了。庞涓心想:现在是两个人才百担,其中九十九担是我砍的,当然是我赢了。谁知老师宣布孙膑赢了,你知道是什么原因吗?

编垫脚石的方法

有时，我们想要有创造性地解决一个问题，但手头上并没有现成的设想当垫脚石。遇到这种情况应该怎么办？自己编一个吧！怎么编呢？首先，有意说些未经思考的荒唐话。然后，有意将一件事情的性质颠倒。

有了这些垫脚石，我们就可以尽力想出一个好主意，去解决问题。

长个"猴相"不会有动脉硬化

动脉硬化患者迪隆先生被护士引到心血管科门诊处。一只穿白大褂的猴子迎接迪隆先生。

护士介绍说："这是心血管科的医生迷你猴小姐，请她给你看病。"迪隆大怒："真是笑话，人生病怎么能由动物来治疗呢？"迷你猴反唇相讥："那么动物病了怎么让人去治呢？现在您是我的病人，必须听医生的话！"迷你猴客气地脱掉迪隆先生的外衣，让他去草地上爬十圈。他无可奈何，开始爬行。迪隆越爬越慢，他落在里拉夫人后面，"这种疗法行吗？"里拉夫人说："怎么不行？你看猴子有得动脉硬化的吗？我的丈夫在这里经过十个疗程的治疗，已经痊愈了。"迪隆先生这才增加了信心。爬的速度也加快了。迪隆先生到底治好没有？当然治好了。

当今世界，患动脉硬化的患者越来越多，而且又没有有效的治疗方法。医院里负责做动物实验的医生发现，虽然也给猴子吃高脂肪蛋白的食物，但猴子从来不患动脉硬化。有个医生知道了这个消息就开了一句玩笑，如果长个猴相，就不会得动脉硬化。说者无心，听者有意，另一个医生以这句话为垫脚石，研究"猴相"，终于发明了爬行疗法。

笑比哭好还是哭比笑好

迪隆先生的动脉硬化已经治好了,院长又送他到保健科待三周,以巩固疗效。他先接受幽默大师哈哈笑大夫的治疗。哈哈笑整天给患者讲笑话,在座的病人都笑得前仰后合。迪隆先生也笑得喘不过气来。他对院长说:"俗话说,笑一笑十年少,确实笑比哭好。"院长说:"应该倒过来说,哭比笑好。根据你的身体状况,你应该到哭的专家裴谛玲小姐的珍室。"

裴谛玲小姐的诊室里,一群男女患者都在一把鼻涕一把泪地哭着。裴谛玲小姐说:"从医学角度讲,眼泪能把人体内受压抑的物质完全排出,痛哭后使人感到从来没有的舒畅,叫人长寿。女人比男人平均寿命高三、四岁,就是因为女人爱哭。男人笃信:'男儿有泪不轻弹',什么事都憋着,这是男人短命的根源。"迪隆听完裴谛玲小姐的话,信服地点点头。随之"呜呜"地使劲哭起来。哭完后感到好极了。

你认为笑好?哭好?看来两者都好,光想到笑的人,应想到哭。光想到哭的人,应想到笑。有意把事情颠倒一下,会启发人的思路,编垫脚石也可以用这种方法。

纲式垃圾桶

　　有些小男孩，经常随手把废纸扔在地上，老师批评他们，他们还不服气，说"往垃圾桶扔纸是件令人讨厌的事。"如果我们把这句话的意思颠倒一下，成为"往垃圾桶里扔纸是件非常有趣的事"，以这句话为垫脚石，我们就可以尽力想，怎样使往垃圾桶扔纸变得愉快？有人想出一个好主意：发明一种纲式垃圾桶。上面插有带篮纲的挡板。可以把纸屑揉成团，瞄准投蓝。教室里有这样一个新式垃圾桶，小男孩保证喜欢往垃圾桶扔纸，还能得到投篮第一名。

如何使懒惰的孩子变得勤快

让你解决一个问题:怎样使小朋友克服懒惰的坏毛病? 为了解决这个问题,你可以有意说一些粗糙的话,把它当作垫脚石。例如:

"懒惰的小孩作个梦就会变得勤快。"

"懒惰的孩子鼻子会变长。"

"懒惰的孩子吃一种药就会勤快。"

"懒惰的孩子,手脚会越变越小。"

"懒惰的孩子父母会失踪,当他勤快了,父母才能回来。"

"懒惰的孩子将得到奖励。"

动脑筋

（1）有人问上帝："伟大的上帝，在你眼里，一千年的时间意味着什么？"

上帝回答："只意味着一分钟罢了。"

"万能的上帝呀！在你的眼里，一万个金币又意味着什么？"

"意味着一个小钱罢了。"

"仁慈的小帝，请你恩赐我一个小钱吧！"

你猜，仁慈的上帝是怎样回答这个财迷的？

（2）要设计一个新铅笔盒，请从下面的说法中选择三个做垫脚石，想出好主意。

(a)铅笔盒像个垃圾桶。

(b)铅笔盒会自动变出一枝笔。

(c)铅笔盒的外形、颜色会随气温变化。

(d)小朋友喜欢自己捏一个铅笔盒。

(e)铅笔盒里的任何东西都不会丢。

（3）有一个人租了一间旧屋的其中一个房间居住，夜间遭到臭虫袭击，于是他起身开灯，敞开门，砰一声把门关上，然后重新躺下来。同屋的人莫名其妙地看着他，他说："我在捉弄臭虫，让他们以为我已经走出去了。"

请你以这个蠢人的主意为垫脚石，想出一个消灭臭虫的好办法。

（4）要设计新式的椅子，请你有意说一些未经仔细考虑过的，甚至是荒唐的话，用它们编三个垫脚石。

（5）在空中，飞行员最怕飞机和飞鸟相撞。别看鸟儿不大，由于他和飞机之间的相对运动速度很大，仿佛一颗炮弹，常常会撞得机毁人亡。

在美国，近十七年来造成的这种惨祸，损失高达一亿美元。为了设计坚固的防风罩，美国一家飞机设计所的设计人员经过反复试验，终于找到了比较理想的材料。可是，在高速飞行中，它能不能承受飞鸟的撞击呢？一定要进行实验。可是，总不能开着飞机朝鸟群硬撞吧！设计师们苦苦思索，找不到一个妥善的办法。这时，一位设计师的十几岁儿子居然想出一个绝妙的主意，解决了这个问题。

试问，这个中学生想的是什么主意，如果想不出，看下面的垫脚石，你能不能想出一个好主意。

垫脚石：鸡，也能飞上天。

如何利用垫脚石

使用垫脚石的方法最重要的是能从中启发出新设想。

如何利用垫脚石呢？

首先，对别人的设想和说法，不要急于判断。对任何的说法应采取"也许"的判断，把它作为解决问题的垫脚石。

其次，不要忽略被自己"封杀"的设想，我们在思考问题时，脑子里总是闪现一些看来似乎是错误的观点，我们的大脑迅速地判断：这个不行。我们就把它放弃了。现在你可以把在脑中一闪而过的，被自己"封杀"的想法，把它当作垫脚石。

最后，利用垫脚石作刺激物，产生想像和联想，没有这种刺激物，思路总在常规上转圈，有了这个刺激物，从而得到一个新设想。

椭圆形的轮子

　　有位工程学家，在演讲时忽然问在座的人，椭圆轮子的汽车有什么作用？在场的大人没有一个能回答出来。这时一个小孩站起来说："可以用在起伏不平的路上。"演讲者对此答案十分赞赏，他说，能否用上并不重要，重要的是这个小孩子不被传统束缚他的头脑。

　　我们想不到椭圆形轮子的用途，是因为我们平时看见的都是圆轮子，很少想到轮子还有其他的形状。另一个原因是，圆轮子是人类的一项重要发明，它确实太完美了，简直无法想像能有比圆轮子更完美的轮子。

工厂应建在哪里

　　建在河流上游的工厂污染了河水,使住在下游的人生活碰到了困难。下游的人愤愤地说:"工厂都应建在下游。"但这是不切实际的。让我们把它当作垫脚石,说一声"也许所有的工厂都应建在下游。"经过思考,我们很快得出了一个较好的想法:制定法规,让所有工厂的排水管都一直铺到下游的出海口,这样不就达到了所有工厂都建在下游的效果吗?

"异想天开"的想法

奥地利科学家魏格纳是个探险家。一次,他有病在家休息,眼睛注意到墙上的世界地图,发现大西洋两岸的轮廓十分吻合,就像一张被撕开的报纸,正好天衣无缝地接在一起。他灵机一动:是不是非洲和美洲原来是一整块的大陆,后来分裂了,才有了大西洋? 但他马上就否定了自己的看法。"真是异想天开!"随即丢在一边,认为没有什么意义。后来,在一个偶然的机会里,他在一篇论文中看到这样的一篇报道:根据古生物的证明,美洲的巴西和非洲曾有过陆地相连接。这时,他想起过去的想法,并紧抓不放。他做了大量的深入研究,认为地球上原来存在原始的大陆,由于地壳运动才分裂成几块独立的大陆。从而提出了大陆飘移说。

汽车应常用方轮子

先看看学生们利用"汽车应当用方轮子"，得到哪些新主意。

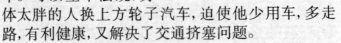

学生甲：方轮子汽车开起来上下颠簸，而且越平整的路颠得越利害，大家都不愿开这种车。可以立个法规：身体太胖的人换上方轮子汽车，迫使他少用车，多走路，有利健康，又解决了交通挤塞问题。

学生乙：方形轮子汽车需要一种特殊的路。他由此联想到在路上作文章。某个城市可以修一种特殊的路，这种路上只有挂着本市牌子的汽车才可以开进去，外市来的人只能乘搭本市的交通工具，这样交通就不那么拥挤了，噪音也减少了。

但这个城市不够好，成了一个与世隔绝的城市。

学生丙：方形轮子的汽车移动困难。由此可以想像到一种移动更迅速的形式：可将主要道路修成皮带输送式的道路。皮带载着人、车前进，交通井然有序。

学生丁：汽车有没有轮子都无所谓，只要能运载东西就行。我们可以设计像气垫船那样的无轮车。

这些设想都相当新颖。经进一步修改，有的就能被采用。

动脑筋

（1）从前,有个人叫王二。一天,他出门办事,住在一家小客店里。住店当天他就上街去了。王二回店,发现店主人贼头贼脑地从客房溜出来。王二进房,立即发现他放在枕头下的五十两银子不见了。他怀疑是店主人偷了,便向县官告状。县官传店主人,店主人硬不承认。县官在店主人手心写了个赢字,说:"去晒太阳,只要字还在,你就赢了。"接着县官派差役到客店盘问老板娘,她一口咬定没有偷银子。差役将老板娘带到公堂上,县官当着她的面问店主人:"'赢'字在不在?""在! 在! '赢'字在!"店主人急忙回答。老板娘一听,吓得连声说:"在!在! 在店里柴房。"小朋友,老板娘怎么一下就承认了呢?

（2）著名的英国作家狄更斯把钓鱼作为最好的休息。有一次,狄更斯正在钓鱼时,一个陌生人走

到他的跟前问道："怎么你在钓鱼?"狄更斯不加思索地回答说："是啊! 真倒霉,钓了半天,一条也没钓到;可昨天也是这个地方,却钓到了十五条鱼哩!"陌生人说："你知道我是谁吗? 我是这个地方专门检查钓鱼的,这段河禁止钓鱼!"说着,这个陌生人拿出发票簿,要给狄更斯开票罚款。狄更斯听了,一面继续钓鱼,一面回答了相应的三句话,便没有被罚款。你猜,狄更斯讲了三句什么话?

（3）国王向王子提了这样的一个问题："这里有一块鱼,你猜出了它的名字,就给你吃。无论什么办法都行,猜猜看。只是不能问鱼的名字。"王子不知道这鱼叫什么名,可是他说了一句话就吃到了这种鱼,王子说了句什么话呢?

动脑筋答案

再造想像

大盗霍真普洛兹的形象

（1）老头子的意思是,赌钱这回事,就等于在两个碗中倒水。钱像水一样,今天你赢了去,明天我又赢回来,如此反覆来回,最后大家的腰包都是空的,哪会发财呢!

（2）略

（3）根据红歌星的动作和表情,控制室里的人却误以为是麦克风发生故障,导致声音中断。

（4）正确答案是(c),优美的音乐引起了她丰富的想像。

视觉形像

（1）这是一幅两可图形,既可以看作是一只老鼠,也可以看作是一个秃头人。80％的人会把它看成是人。如果你在看这幅图之前,刚看了好几线动物的图像,那么就容易把它看成一只老鼠。

（2）设计象右图这样一件东西就可以无间隙地通过其中任何一个洞。还有另一个答案:找一张海绵或泡沫塑料。它们十分柔软,可以随意变形,无间隙地通过其中任何一个洞。不过,海绵块不能太小。

（3）这类题有很多种方法解决。这题可以像右图所示的那样划分。

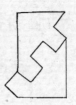

（4）黄色比红色亮，醒目，容易看清。

创造性想像

（1）21 世纪的床像天上的云一样柔软，睡在上面，身体各个部位都感到很舒服。睡觉前，一按按钮，床就发出下雨声、风声或催眠曲。床的温度可以自动调节，还有自动消除鼾声和梦话的装置。早晨，床还会慢慢发出声音唤你起床。

（2）(a) 解决这个问题时，不必理会那个时候是在晚上，可是题中并未说明这一点。其实房间并没有变暗，因为这是在白天。

(b) 如果你认为外婆的身高和一般人一样，那就不能解决这个问题。实际上，外婆是一个矮子，而电梯的按钮装置太高，她按不着电梯七字的按钮。

(c) 爸爸是个秃头。所以没有头发可淋湿。

（3）古代人以他们的生活来塑造神。那时，只有贵族才能乘车，所以高贵的神也驾车巡视。因为古代没有电话，也没有天气预报，所以古代人不可能想像出神也打电话问天气预报，只有现代人才能创造出这幅漫画。

（4）地心引力若每天停止一秒钟，所有的东西都会漂起来，树木拔根，油库爆炸，汽车离开地面，地基松动，房盖掀起，火山爆发，海水淹没一切大陆。这一秒即使还算短暂，但也是灾难性的。人在这一秒钟会长高;房子将会变成像活动房屋和活动汽车类似的样子,人们将很难永远住在一个地方。屋里的所有家具都会是固定的,门窗在那一秒都会自动关闭,否则人会从屋子里漂出去。在没有引力的那一秒,人不能吃饭、渴水、洗澡。

创造新形象

(1)假如我们的后脑又长一只眼睛,我们睡觉只能侧身躺;人接受的信息更多,大脑会更聪明。台上表演节目不能总把脸对着观众,还要不时显示一下后脑勺,人们要看看第三只眼睛的表情;脑后有了一只眼,谁也不敢在别人背后指手划脚;上课时,可以同时由两位老师上课,一位在前面讲,一位在后面的黑板上写公式,可以大大提高学习效率,缩短学习时间;有了这只眼睛,头发式样会大大改变;眼镜的外形也会与现在不一样;眼科疾病会增多50%,眼科医生也得增加50%。

(2)这个笑话采取了夸张的手法。其实人对火相当敏感,任何人一见着火了会马上喊出声。这里讽刺小学生把老师的话当圣旨,也讽刺了老师的刻板。

(3)服务员拿的是斗牛票。只要想到地点在西班牙,就能想出答案。

(4)冰冻三尺非一日之寒。

模棱两可的思考

(1)略
(2)(a)蜡烛。

(b)我自己是发型师,每天给十几个人剪发。

(c)"错"这个字。

（3）师傅讲的是铁锤不会碎,当然是对的,"锤不碎"既可以理解成锤不碎别的东西,也可以理解成锤子本身不碎。

（4）杨修说:"一合酥意思是一人一口酥。因为合字是由'人一口'组成的,所以我就先吃了一口。"

暂不下判断

（1）(a)否(b)否(c)是(d)否(e)否

　　(a)也许(b)否(c)也许(d)也许(e)也许

（2）(a)也许(b)也许(c)也许(d)也许(e)也许

（3）(a)没有一天月亮是发光的。

(b)这车门只是两节车厢之间的车门,因此,走出去当然没有危险。要是你认为打开车门一定是走出列车,那只是一厢情愿。

(c)这题目是在说这句"双数乘以双数"是个双数(六字句),"双数乘双数"这是五字句,从字数上说,当然是单数。

（4）青黄不接。

创造性地对待一切

（1）略　　（2）略

（3）袜子本身有袜口。把袜口算进去,正好十二个洞。

（4）(a)也许风筒可以当吸尘机。

有人发现风筒的后面有些小眼正是进风口,于是他在风筒内又安了一个滤尘装置和一个灰尘室。这样,风筒的前面可以用来吹风,后面可以用来吸入掉在肩上的发屑。

(b)也许人像袋鼠一样跳着走。

日本出现了一种玩具,类似高跷。小孩双脚踩在上面,就可以像袋鼠一样蹦跳,能很好地锻炼四肢和身体的平衡。

(c)也许水壶会说话。

过去因为在煲水时,水开了也不知,常常耽误事情,或者造成危险,现在已发明了一个能告诉人"水开了"的水壶。水壶盖上开了一个小孔,小孔上按上一个小哨。水沸腾时,大量的水蒸气从小孔往外钻,就吹响了哨子,通知人赶快关火。

(d)也许人在水面上可以自由行走。

人可以借助滑浪板、小船和汽艇在水上自由行走。将来可能会发明更实用的水上交通工具。

(5)(a)博士和他的助手两个人不可能制造超级原子装置。

(b)他们若发射这个装置,各国的宇航局监视系统不可能不知道。

(c)超级原子装置托起了月球,使之脱离了轨道。

(d)失去月球,这件事对地球人的影响将不仅仅是夜间照明的问题。

(e)坏博士要那么多金子,他放在哪里储存。

垫脚石

（1）（a）发明一种睡前操：第一节爬行；第二节翻身；第三节蹬腿；第四节啃脚趾。通过这个练习回到童稚状态，去掉烦恼和琐事，睡觉就会香。

（b）用录音机录下雨声，睡觉前放录音，有利睡眠。

（c）汽车喇叭由声信号改成光信号或红外线信号，人上街带上一个红外线接收器。这样，汽车的噪音会大大减少。

（2）小孩告诉他："让你的骆驼与其他骆驼反向站立，骆驼一回头，就与其他骆驼同一方向跑了。"

（3）日本客人故意让领带沾了显影溶液，想回去后进行化验。实验室主任识破了他的用意，将计就计，故意为他换一条"没弄脏"的领带，打破了日本人的计划。

（4）"百"与"柏"同音。鬼谷子先生指的是"柏挑榆柴"，他想考考谁的头脑更灵活。庞涓理解错了，所以输了。

编垫脚石的方法

（1）仁慈的上帝对这个财迷说："请你再等一分钟。"

（2）以第一句话"铅笔盒像个垃圾桶"为垫脚石，想到小朋友每天要削铅笔、擦橡皮擦、撕废纸，这些废物常掉在地上。发明一种铅笔盒，上面带有小吸尘器,把这些脏东西吸走。当然,放垃圾有专门的地方,与放文具的地方是隔开的。而且一按开关,铅笔盒就会自动倒出脏物。

以"铅笔盒的外形、颜色会随气温变化"为垫脚石,到了冬天屋里很冷,做功课的小朋友感到手冻,就发明了一种夹有特殊燃料(不足温度50℃)的铅笔盒,抱着铅笔盒就像抱着暖炉。

以"小朋友自己捏个文具盒"为垫脚石,想到发动小朋友搞一个"文具盒设计竞赛",开发儿童的创造力;同时为文具厂提供新想法。

(3)臭虫靠嗅觉去寻找吸血目标,所以这个蠢人这样做糊弄不了臭虫。但是"让臭虫以为我出去了"这个想法却可以当作垫脚石,想到利用臭虫更敏感的气味把臭虫吸引到一个只能进去、不能出来的盒子里消灭它。

(4)为设计新椅子编的垫脚石:

(a)椅子自己会飞上天花板上,否则屋子里显得太挤。一旦需要用它,它又回到地面。

(b)椅子会随人的需要变形,使你坐着呈最舒服的状态。

(c)椅子会看病。

(5)根据"鸡也能飞上天,想到鸡和鸟类似,可以用鸡去撞飞机。但鸡不能飞上天,就用火炮发射鸡肉。这个中学生想的主意你能想出来吗?

如何利用垫脚石

(1)国语"赢字"与"银子"发音相同。县官问"'赢'字在不在?"店主人回答:"'赢'字还在!"老板娘却听成"银子在不在？""银子还在！"她作贼心虚，以为丈夫已经招认，所以马上回答："银子在店里柴房。"

（2）狄更斯看到这情景，连忙反问道："那么，你知道我是谁吗？"当陌生人被这一问搞得摸不清头脑的时候，狄更斯对他说："我是作家狄更斯，你不能罚我的款，因为虚构故事就是我的职业。"陌生人没有办法，只好走了。

（3）王子说："你先让我吃了这条鱼，我就能知道这是什么鱼。"因为他明白国王这道题的关键是"想办法吃到鱼"，至于鱼的名字是次要的。只要你想的办法既能回避鱼名的问题，又能吃到鱼，你就取胜了。